Cheo come caimanes

Alison Lester

Para Will y Clair

SCHOLASTIC INC.

New York   Toronto   London   Auckland   Sydney

Desayuno

Nando come granola.

Celeste toma té y tostadas en la cama.

Lucy come un plátano.

A Rosita le gustan
los huevos con tocino.

Chabela come una
salchicha.

Pedro toma avena
con leche.

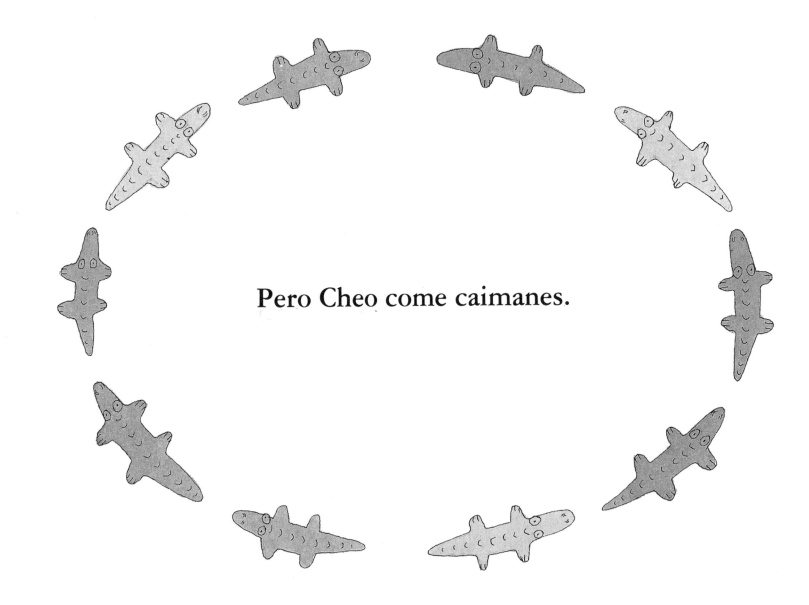

Pero Cheo come caimanes.

Ropa

Rosita lleva un sombrero vaquero.

Nando viste unos pantalones a rayas.

A Lucy le gusta su overol.

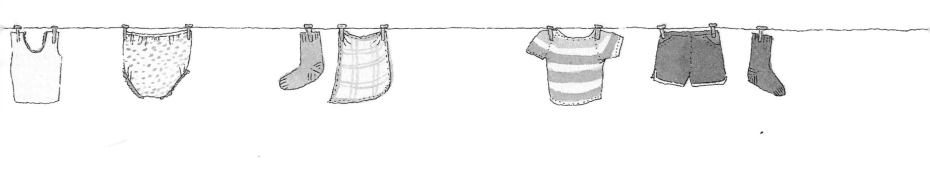

Pedro lleva un
suéter con
perros y gatos.

Celeste viste
un tutú.

Cheo se pone una
camiseta con
caimanes.

Pero Chabela lleva una cola.

Juegos

Cheo pinta.

Celeste se disfraza.

Pedro hace un dinosaurio.

Lucy construye una casita en el árbol.

Rosita se columpia.

Chabela juega en el cajón de arena.

Pero Nando juega al ajedrez con Blas.

Almuerzo

Celeste merienda
en el campo.

Chabela toma el té
con sus amiguitos.

Cheo come en su
confitería favorita.

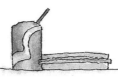

Pedro come un sandwich en el muelle.

Nando come un bocadillo en la cama.

Rosita come una hamburguesa en el camión.

Pero Lucy almuerza en su casita del árbol.

Tiendas

Celeste visita la
tienda de mascotas.

A Nando le gusta
la librería.

Chabela va a la
carnicería.

A Lucy le gusta
la ferretería.

Cheo visita la tienda
de juguetes.

A Rosita le gusta
la confitería.

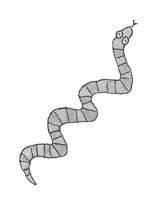

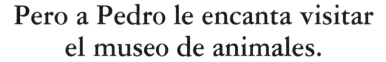
**Pero a Pedro le encanta visitar
el museo de animales.**

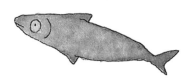

Mascotas

Chabela tiene una
gata de tres colores.

Cheo tiene dos
peces dorados.

A Nando le gusta
mucho su perro.

Lucy tiene un conejillo de Indias.

Rosita tiene un poni.

Pedro tiene una tortuga.

Pero a Celeste le encanta su gallo.

Pasatiempos

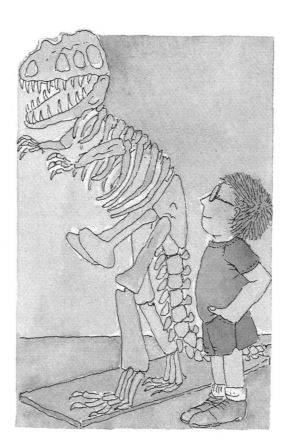

A Lucy le gusta
la playa.

A Pedro le gusta
ir al museo.

A Celeste le gusta
el ballet.

A Nando le gustan
las fiestas.

A Chabela le encanta
su cumpleaños.

Cheo va al
zoológico.

Pero a Rosita le encanta el rodeo.

Al acostarse

Nando tiene su
manta azul.

Pedro deja
una luz.

Chabela lleva su
osito de peluche.

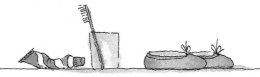

Lucy abraza su
muñeca de trapo.

Celeste escucha su
caja de música.

Rosita prefiere la
litera de arriba.

Pero...
¿qué piensas que hace Cheo?